Arbor alma

The Giving Tree

In Latin

Arbor alma
The Giving Tree

In Latin

Qui libellus est a

Shel Silverstein

primo Anglice compositus

at nunc (quod vix credas)
in sermonem Latinum
a **Guenevera Tunberg**
et **Terentio Tunberg**
conversus!

Endorsed by the Legamus Committee
An advisory committee dedicated to producing materials to help Latin students read more easily

Bolchazy-Carducci Publishers, Inc.
Wauconda, Illnois USA

This publication was made possible by
PEGASUS LIMITED.

General Editor:
Laurie Haight Keenan

Typography & Design:
Jody Lynne Cull

Published by:
Bolchazy-Carducci Publishers, Inc.
1000 Brown Street
Wauconda, IL 60084 USA
http://www.bolchazy.com

2006
Printed in the United States of America
by Worzalla

ISBN-13: 978-0-86516-499-4
ISBN-10: 0-86516-499-1

For
Nicky

libellus Nicolae dicatus

Erat quondam arbor . . .

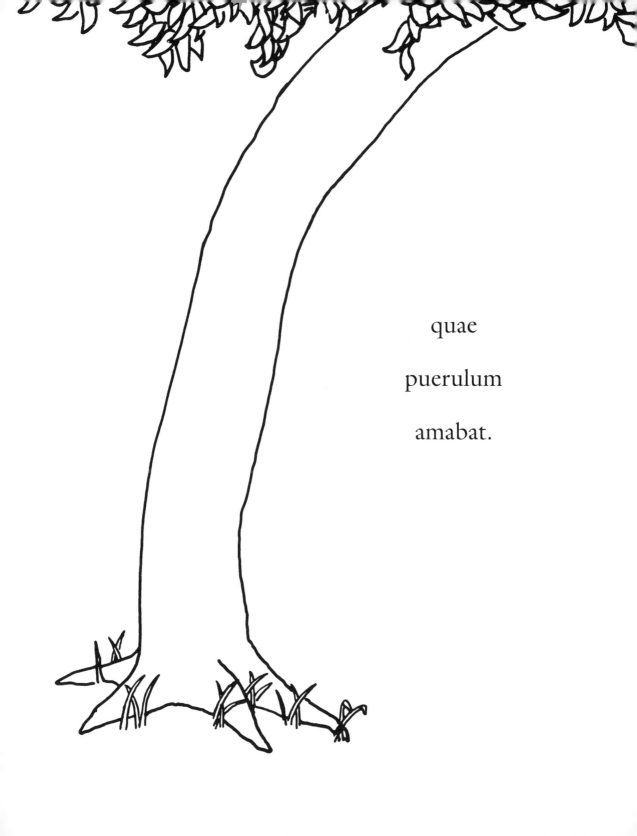

quae

puerulum

amabat.

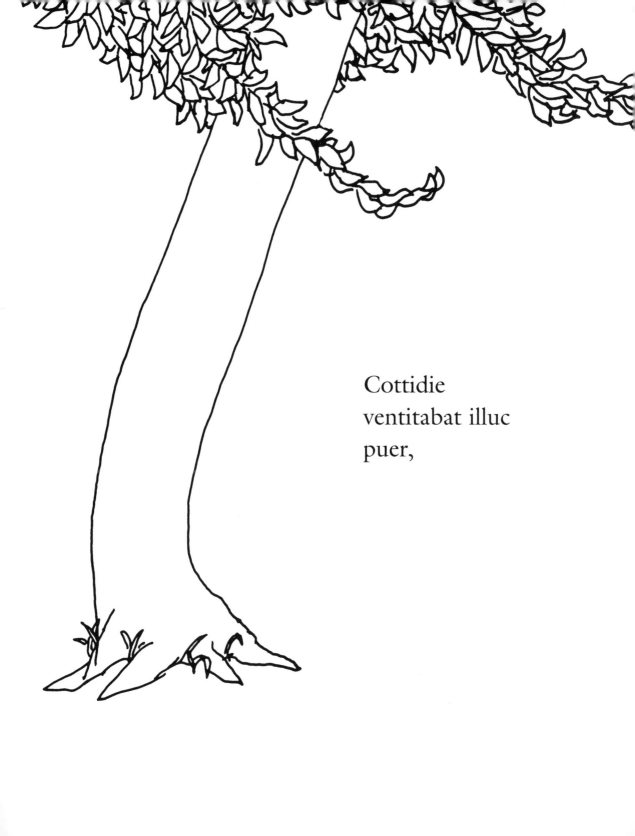

Cottidie
ventitabat illuc
puer,

arboris-

que

folia

modo

collige-

bat,

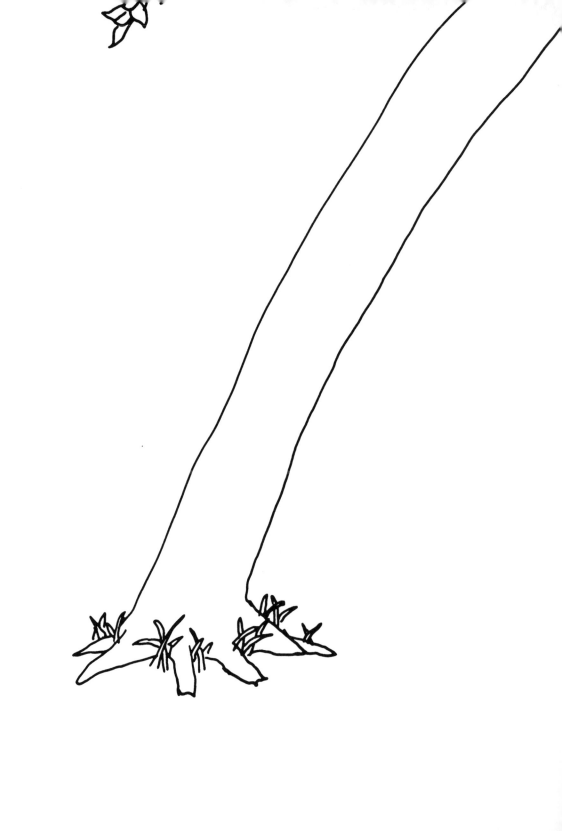

quibus consertis
capitique impositis,
quendam se silvestrem simulabat regem;

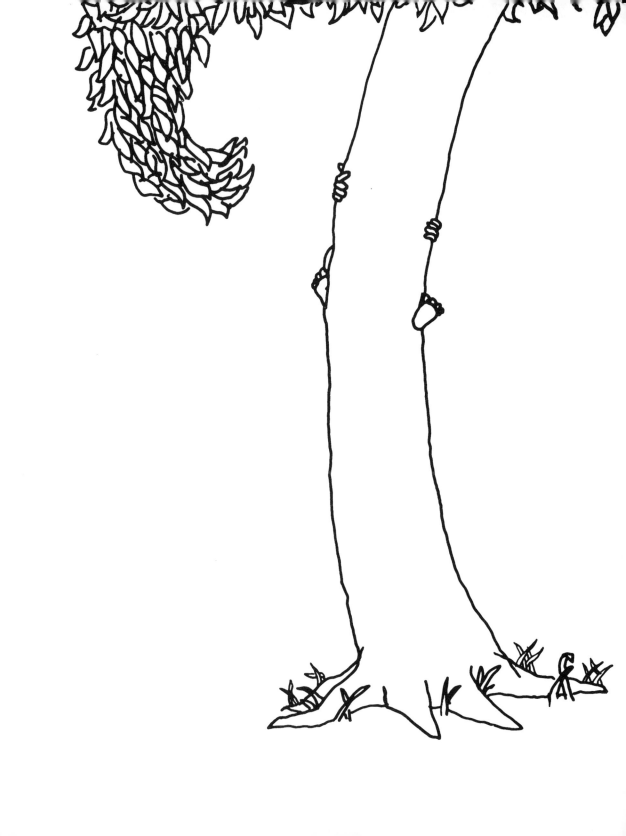

modo truncum arboris scandebat,

et e ramis sublimibus pendebat

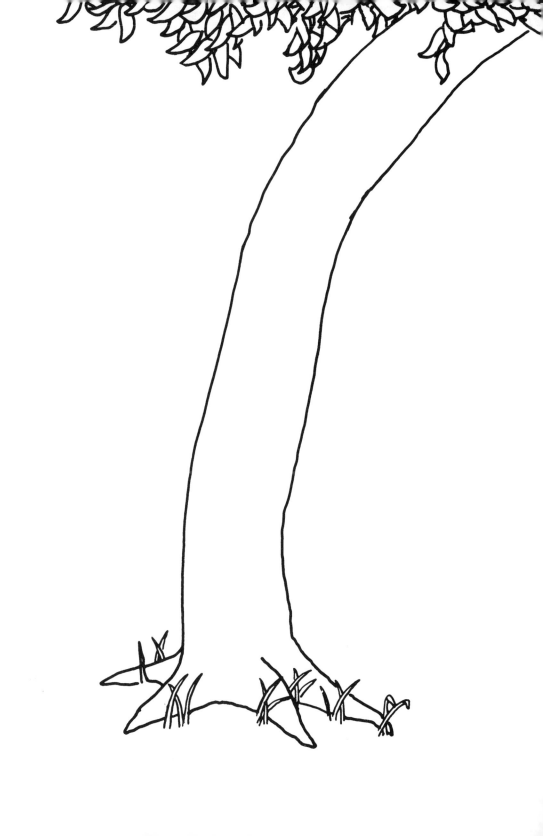

malaque comedebat.

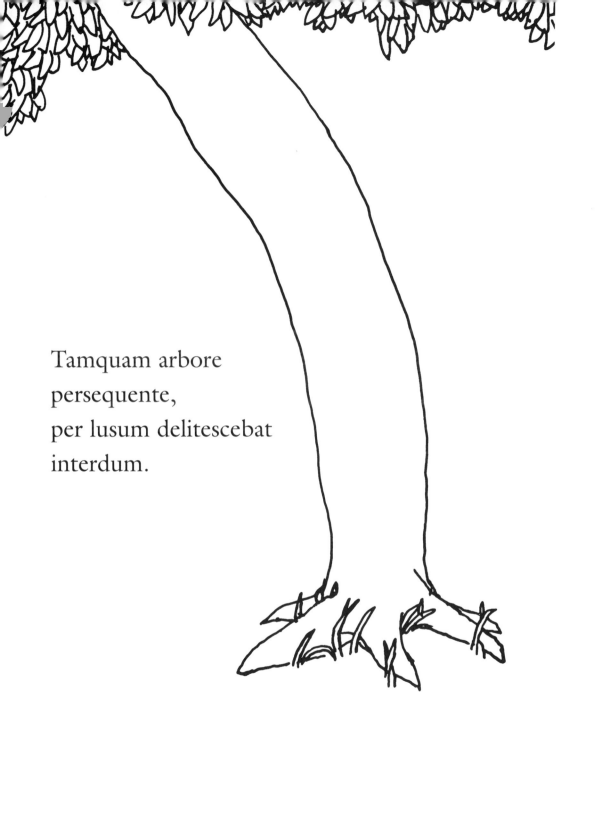

Tamquam arbore
persequente,
per lusum delitescebat
interdum.

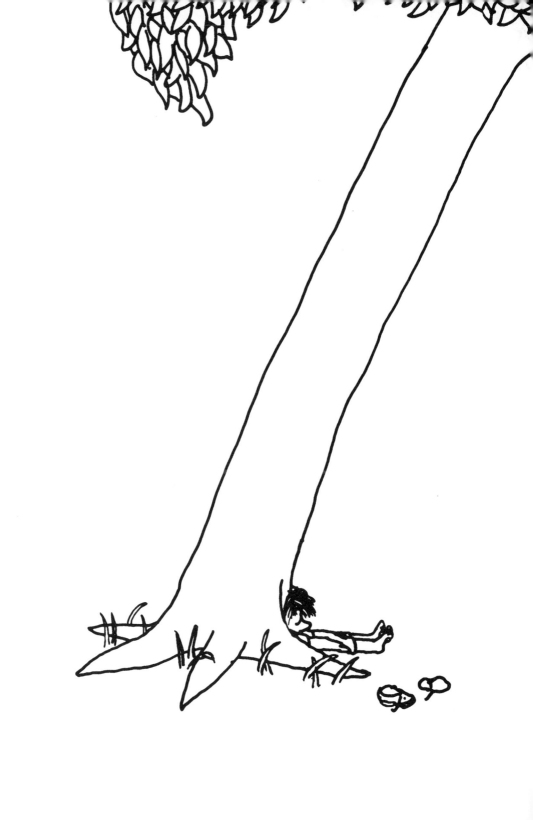

Defessus
arboris
in umbra
meridiabatur.

Amabat arborem puer,

amabat valde.

Qua re laetabatur arbor.

At abierunt anni,

adolevit puer.

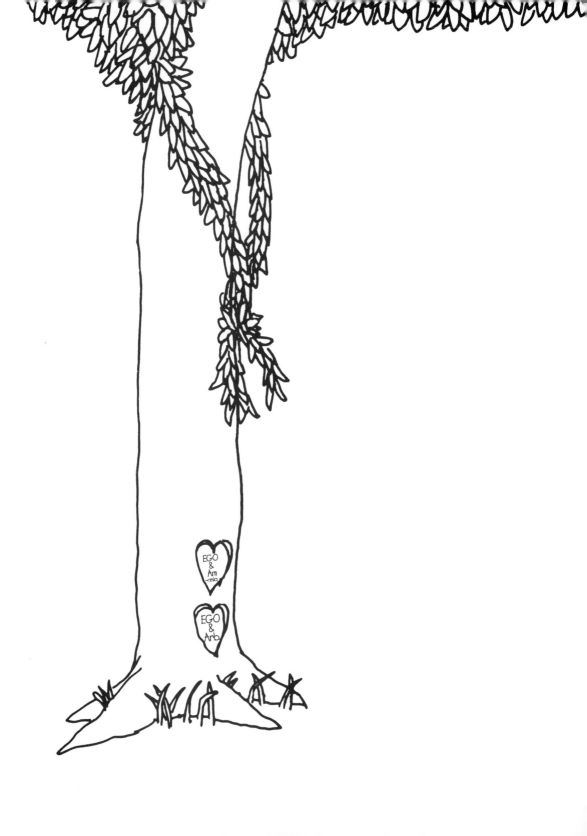

Saepe erat arbor solitaria.

Quodam die, cum advenisset puer,
"Age, age," inquit arbor, "truncum
scande meum, meis e ramis pendens
mala consume, mea in umbra lude.
Laetus esto."
"Iam sum natu grandior," inquit puer,
"quam ut truncum tuum scandam puerilique more ludam.
Pecunia est opus iam gestienti res emere quibus delecter.
Pecuniam mihi des velim."
"Utinam pecuniam haberem," inquit arbor,
"at sola mihi folia sunt et mala.
Tu, quaeso, inscende, mala cape;
quibus in urbe divenditis
bene nummatus gaudebis."

Dicto audiens in arborem
inscendit.
Pomis a puero congestis
et ablatis, arbor gaudebat.

Postea vero,
diu absente amico,
contristabatur arbor:
deinde,
cum tandem revertisset puer,
arbor mirum in modum hilarata,
"Truncum scande meum,"
inquit,
"ut in ramis lascivias
laetus."

"Iam sum negotiosior,"
inquit puer,
"quam qui arbores scandam.
Opus mihi est tecto,
ibi procul a me pellantur frigora. Opus est aedibus:
uxorem enim habere velim, quae liberos pariat.
Tectum mihi ut des oro et obsecro."
"Nullum mihi est tectum," inquit arbor,
"nam tota silva est domicilium meum.
At excidas ramos meos licet,
quibus aediculas commodas construas.
Tunc gaudebis!"

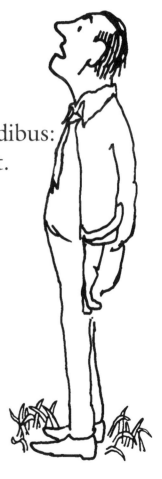

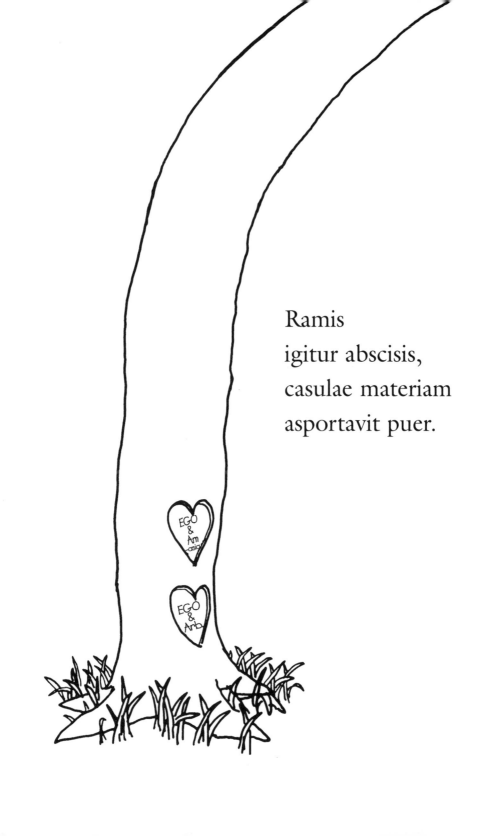

Ramis
igitur abscisis,
casulae materiam
asportavit puer.

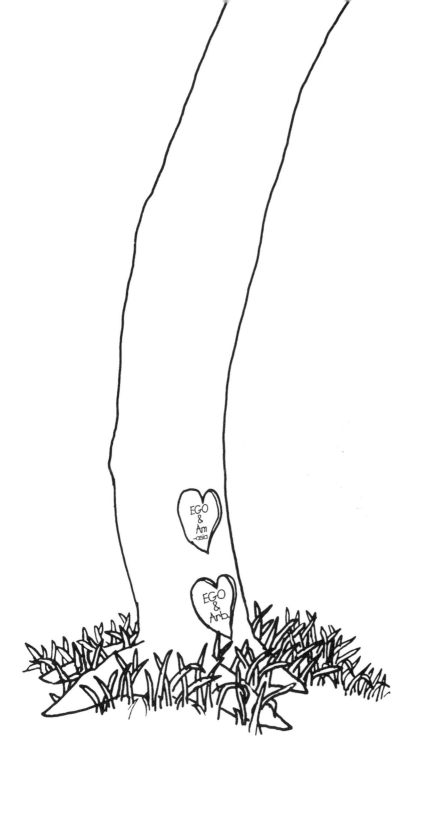

Et arbor tunc erat gaudio plena.

At puer
diu aberat.
Quo tandem reverso,
arbor prae laetitia
vix sermonis compos erat.
Tum murmurans, "En age," inquit,
"quid cessas? Mea in umbra ludas velim."
"Iam sum aetate provectus," inquit ille,
"senectute confectus, maestus.
Et rogas ut ludam? Opus mihi est scapha,
qua procul
hinc avehar.
Vin' mihi scapham dare?"

"Caede, amabo te," inquit arbor,
"truncum meum,
unde scapham construas.
Tunc laetus
enavigare valebis."

Naviculam igitur trunco caeso fabricatus ille,

e portu solvit.

De trunco dato laetabatur arbor,

sed non intus et in cute.

Puer longo post tempore
revertit.
"Inopiae meae me paenitet,"
inquit arbor, "at nihil mihi reliqui est
quod tibi dem….

Nunc mihi mala desunt."
"Infirmi sunt dentes," ait ille,
"nec mala mordere possum."
Tum arbor:
"Desunt rami
ubi pendulus ludas."
"Aetate sum provectior,"
inquit ille, "quam ut in ramis lasciviam."
At arbor: "Deest truncus
quem scandas." "Qui possum," inquit ille,
"tam defatigatus arbores scandere?"
Arbor suspirans, "Doleo," inquit.
"Utinam mihi adessent
quae tibi darem.
De me ipsa quid restat? Vix mihi
superstes stipes."

"Iam mihi," ait ille,
"non multa opus sunt.
Lassitudine victus recessum quaero
ubi sedeam quietus."
Arbor,
quoad facere potuit,
se erigens;
"Integrarum quidem," inquit, "arborum nos delectat
altitudo, excisarum tamen
in radicibus stirpibusque commode sedetur.
Venias igitur quaeso, considas,
quiescas."

Dicto audiens consedit ille,

et arbor gaudebat.

Finis.

About our text

Shel Silverstein's writing in the children's book, *The Giving Tree*, appears to lack all artifice. He uses an English idiom that delights readers, be they children or adults. In our translation of this work into Latin, we have also used an informal, familiar style, but we chose to vary his practices in some respects. Translating a work literally serves neither the original author nor the reader of the translation well. In the case of *The Giving Tree*, the author quite frequently repeats the same words, the same word order, the same expressions. We have taken this approach much more sparingly, believing that readers who appreciate the resources of Latin will expect more variety in the use of words. As the anonymous author who wrote *Rhetorica ad Herennium* put it: "We shall say the same thing, not the same way, but in a variety of ways" (IV, 42. 54).

For example, we may consider these two passages:

I.

p. 35 "**But the boy stayed away for a long time**…. and the tree was sad"

p. 41 "**But the boy stayed away for a long time.**
And when he came back, the tree was so happy she could hardly speak."

In our Latin translation of these sentences, we thought it important to indicate the absence of the boy differently in each passage. In the first passage the absence of the boy is really the reason for the sadness of the tree. But in the second passage the primary object of concern is not so much the boy's absence as the joy felt by the tree after the return of the boy.

p. 35 *Postea vero,* ***diu absente amico****, contristabatur arbor…*

p. 41 *At* ***puer diu aberat****. Quo tandem reverso, arbor prae laetitia vix sermonis compos erat*

II.

Another example may be found in the following two passages, in which we find the same English adjective "tired", but in each case the connotation of the word is different.

p. 20 "And when he was **tired**, he would sleep in her shade."

p. 49 "I don't need very much now," said the boy, "just a quiet place to sit and rest. I am very **tired**."

De libello nostro

Shel Silverstein, clarissimus auctor, fabellam puerilem, quae "Giving Tree" inscribitur, abhinc quadraginta fere annos lingua Anglica composuit, sermone quodam simplici atque inaffectato usus, quo lectores adhuc delectantur tam parvuli quam adulti. Quam igitur fabellam quo decentius Latine redderemus, genus dicendi remissius adhibere conati sumus, etsi haud usque quaque vestigia auctoris sequentes. Verbi gratia, rarius quam scriptor ipse ad eadem verba, eundem verborum ordinem, easdem locutiones identidem rediimus, quippe qui crederemus fore ut copia verborum paulo amplior opusculum Latinum legentibus arrideret. Audiamus auctorem ignotum, qui ad Herennium de arte rhetorica scripsit. "Eandem rem dicemus," inquit, "non eodem modo … sed commutate" (IV, 42. 54).

Aliquot exempla consideremus:

I.

p. 35 *"But the boy stayed away for a long time…. and the tree was sad"*

p. 41 *"But the boy stayed away for a long time.*
      And when he came back, the tree was so happy she could hardly speak."

Ad has sententias Latine exprimendas, puerum diu afuisse aliter alio in loco indicare voluimus. Primo enim in loco absentia pueri dicitur esse causa cur arbor tristitia afficiatur. Spectatur autem altero in loco laetitia, qua puero reverso cumulatur arbor.

p. 35 Postea vero, **diu absente amico**, contristabatur arbor…

p. 41 At **puer diu aberat**. Quo tandem reverso, arbor prae laetitia vix sermonis compos erat

II.

Et aliud exemplum e locis infra descriptis petere possumus, ubi *tired* nomen adiectivum Anglicum alibi est alio sensu praeditum. Quod discrimen, vocibus aliis alio in loco adhibitis, patefacere conati sumus.

p. 20 "And when he was **tired**, he would sleep in her shade."

p. 49 "I don't need very much now," said the boy, "just a quiet place to sit and rest. I am very **tired**."

We employed different Latin words in each passage in order to express the difference in meaning. The first passage is about a boy tired out *(defessus)* by playing games. In the second passage the narrative is about an old man, who is worn out and irrevocably weakened *(lassitudine victus)* by the cares and disappointments of life.

p. 20 ***Defessus*** *arboris in umbra meridiabatur.*

p. 49 *"Iam mihi,"* ait ille, *"non multa opus sunt.* ***Lassitudine victus*** *recessum quaero ubi sedeam quietus."*

* * * * * * * * *

In short, we have tried to compose an interpretative translation, not a mere verbal image of the original text. We agree with Seneca, who declares "an image is a dead thing" (*Ep.* 84.8).

About the translators

Jennifer Morrish Tunberg (Ph.D. History, University of Oxford) has held faculty positions in Medieval Studies in Canada and Belgium. She is an Assistant Professor in the Department of Classics and the Honors Program at the University of Kentucky in Lexington. Her research interests include Latin literature of all periods, ancient, medieval, and more recent times.

Terence Tunberg (Ph.D., Classical Philology, University of Toronto) is an Associate Professor in the Department of Classics and the Honors Program at the University of Kentucky in Lexington. He has held faculty positions in Classics in Canada, the U. S. A., and Belgium. Interested in the entire Latin tradition, he has conducted specialized research on typologies of prose style in ancient and more recent texts. Every summer in Lexington he conducts seminars in the spoken use of Latin.

Primo enim in loco agitur de puero ludis defesso: at altero in loco indicatur homo iam aetate provectus, cui doloribus vitae confecto desunt vires necessariae.

p. 20 **Defessus** arboris in umbra meridiabatur.

p. 49 "Iam mihi," ait ille, "non multa opus sunt. **Lassitudine victus** recessum quaero ubi sedeam quietus."

* * * * * * * *

Interpretationem igitur componere conati sumus, non imaginem. Nam, sicut asseverat Seneca, 'imago res mortua est' (*Ep.* 84.8)

De interpretibus

Guenevera Morrish Tunberg doctricis rerum gestarum diplomate in studiorum universitate Oxoniensi honestata, medii aevi historiam, mores, litteras in Canada, in Belgica, in Civitatibus Americae Septentrionalis docuit. Profestrix nunc adiutans apud litterarum Graecarum Latinarumque facultatem, collegiumque 'Honors' nuncupatum docendi muneribus Lexintoniae in academia Kentukiana fungitur, ubi operibus Latinis non solum antiquis, sed medio quod dicitur aevo et recentiore aetate editis operam dat sedulam.

Terentius Tunberg, qui ob linguae Latinae studia in academia Torontina ad doctoris gradum pervenit, philologiam in Canada, in Belgica, in Civitatibus Americae Septentrionalis professus, professor nunc sociatus apud litterarum Graecarum Latinarumque facultatem, collegiumque 'Honors' nuncupatum docendi muneribus Lexintoniae in academia Kentukiana fungitur. Totius patrimonii Latini studiosissimus, inquirit in solutae orationis genera apud auctores Latinos cum antiquos tum etiam recentiores frequentata. Conventicula Latine loquentium moderatur, quae quotannis Lexintoniae tempore aestivo agitantur.

Vocabulary

A

a / ab *(+ abl.)* by, from

abeo (4) to pass away, go away

abscindo (3), scidi, scissum to cut off

absum, abesse, afui to be absent, to be away from; **absens, -sentis** *(pres. part.)* absent

adolesco (3), -evi to grow up

adsum, adesse, adfui to be present, be at hand

advenio (4) to come, to come to, to reach, to arrive at

aedes, -ium, *f.* house

aedicula, -ae, *f.* small house

aetas, aetatis, *f.* life, age; **aetate provectus** old

ago (3), egi, actum to do; **age** *(imperative)* come on!

aio *(defective verb)* to say; **ait** he, she, it says

almus, -a, um nurturing, giving

altitudo, -inis, *f.* height, loftiness

amicus, -i, *m.* friend

amo (1) to love; **amabo, amabo te** please

annus, -i, *m.* year

arbor, -oris, *f.* tree

asporto (1) to bear, carry or take off or away

at but

audio (4) to hear; **dicto audiens** obedient

aufero, -ferre, abstuli, ablatum to take or bear off, to carry away

aveho (3), avexi, avectum to carry off or away, bear off

B

bonus, -a, -um good; **bene** *(adverb)* well

C

caedo (3), cecidi, caesum to cut down, fell

capio (3), cepi, captum to take

caput, -itis, *n.* head

casula, -ae, *f.* little house

cesso (1) to delay

colligo (3), collegi, collectum to collect

comedo (3), comedi, comesum / comestum to eat

commodus, -a, -um, comfortable; **commode** *(adverb)* opportunely, fitly, aptly

compos, -otis *(+ gen.)* having mastery, control, or power over something

conficio (3), -feci, -fectum to weaken, diminish

congero (3), congessi, congestum to gather

consero (3), conserui, consertum to join together

consido (3), consedi, consessum to sit down

construo (3), construxi, constructum to build

consumo (3), consumpsi, consumptum to consume, eat

contristo (1) to sadden

cottidie daily

cum when

cutis, -is, *f.* skin; **intus et in cute** inherently, wholly

D

de *(+ abl.)* from, of, about, concerning, regarding

defatigatus, -a, -um tired, weary, exhausted

defessus, -a, -um weary, exhausted

deinde then

delecto (1) to delight

delitesco (3), delitui to hide

dens, -tis, *m.* tooth

desum, deesse, defui *(+ dat.)* to be lacking, not to have

dicatus, -a, -um dedicated

dico (3), dixi, dictum to say; **dicto audiens** obedient

dies, diei, *m.* day

diu for a long time

divendo (3), *no perfect,* **divenditum** to sell

do (1), dedi, datum to give

doleo (2), dolui, dolitum to be sorry

domicilium, -ii, *n.* home

E

e / ex *(+ abl.)* from, out of

ego, mei, mihi, me, me I, me

emo (3), emi, emptum to buy

en Look! **en age** Look, come on!

enavigo (1) to sail away

enim for, indeed

erigo (3), erexi, erectum to raise up

et and

excido (3), excidi, excisum to cut off

F

fabricor (1) to make, construct

facio (3), feci, factum to do

finis, -is, *m.* end

folium, -ii, *n.* leaf

frigus, -oris, *n.* cold

G

gaudeo (2), gavisus sum to rejoice, be glad

gaudium, -ii, *n.* joy

gestio (4) to desire eagerly

grandis, -e big, grown up; **grandior natu** too big, too old

H

habeo (2), habui, habitum to have

hilaro (1) to gladden, cheer

hinc from this place

I

iam now, already

igitur therefore, accordingly

ille, -a, -ud he, she, it; that

illuc thither

impono (3), imposui, impositum to place upon

in in, on; into

infirmus, -a, -um feeble, weak

inopia, -ae, *f.* poverty

inquit he, she, it says/said

inscendo (3), scendi, scensum to climb up

integer, -gra, -grum whole, complete

interdum sometimes

intus inwardly, on the inside, within

ipse, ipsa, ipsum self

L

laetitia, -ae, *f.* joy

laetor (1) to be happy, to rejoice

laetus, -a, -um happy, joyful

lascivio (4) to frolic

lassitudo, -inis, *f.* weariness

liberi, -orum, *c.* children

licet (2), licuit, licitum est it is permitted; one may

longus, -a, -um long

ludo (3), lusi, lusum to play

lusus, -us, *m.* game, play

M

maestus, -a, -um sad

malum, -i, *n.* apple

materia, -ae, *f.* timber

meridior (1) to take a nap

meus, -a, -um my

mirus, -a, -um amazing, wondrous; **mirum in modum** amazingly, wondrously, extraordinarily

modo. . .modo. . . at some times. . .at other times

modus, -i, *m.* measure; **mirum in modum** amazingly, wondrously, extraordinarily

mordeo (2), momordi, morsum to bite

mos, moris, *m.* way, manner, habit, custom

multus, -a, -um much

murmuro (1) to murmur

N

nam for

nascor (3), natus sum to be born; **grandior natu** too big, too old

navicula, -ae, *f.* little boat

nec and not

negotiosus, -a, -um busy

nihil nothing

non not

nos, nostrum / -i, nobis, nos, nobis we, us

nullus, -a, -um no, none

nummatus, -a, -um rich, full of cash

nunc now

O

obsecro (1) to entreat, implore

opus, -eris, *n.* work, labor; **opus est** + *dative of person* + *nominative/accusative of thing* to need

oro (1) to pray, entreat

P

paeniteo (2), paenitui to cause to repent, to displease; **paenitet** + *accusative of person* + *genitive of thing* to regret

pario (3), peperi, paritum/partum to bear, bring forth

pecunia, -ae, *f.* money

pello (3), pepuli, pulsum to drive away, expel

pendeo (2), pependi to hang down

pendulus, -a, -um hanging down, pendant

per for the sake of

persequor (3), persecutus sum to follow after, pursue

plenus, -a, -um full

pomum, -i, *n.* fruit

portus, -us, *m.* harbor

possum, posse, potui to be able

post after

postea afterwards

prae *(+ abl.)* because of

procul far, far away

proveho (3), provexi, provectum to carry along; **provectior aetate** too advanced in years

puer, pueri, *m.* boy

puerilis, -e boyish, childish

puerulus, -i, *m.* little boy

Q

quaero (3), quaesivi, quaesitum to seek, look for

quaeso (3), quaesivi to seek, to beg, entreat; **quaeso** please

quam qui/quam ut *preceded by comparative adjective* too. . .to

-que *(enclitic)* and

qui how?

qui, quae, quod *(relative pron.)* who, which/that; **qui, quae, quod** *(interrogative adjective)* what? which?

quid why?

quidam, quaedam, quoddam a certain, a kind of

quidem indeed

quiesco (3), quievi, quietum to rest

quietus, -a, -um quiet, at rest

quis, quid *(interrogative pronoun)* who? what?

quoad as far as

quondam once

R

radix, radicis, *f.* root

ramus, -i, *m.* branch

recessus, -us, *m.* retreat

reliquum, -i, *n.* remnant

res, rei, *f.* thing

resto (1), restiti to remain, be left

reverto (3), reverti, reversum to return

rex, regis, *m.* king
rogo (1) to ask

S

saepe often
scando (3) to climb
scapha, -ae, *f.* skiff, light boat
sed but
sedeo (2), sedi, sessum to sit; **sedetur** *(impersonal passive)* one sits
senectus, senectutis, *f.* old age
sermo, -onis, *m.* speech
silva, -ae, *f.* forest, wood
silvestris, -e woodland, belonging to a forest
simulo (1) to pretend
solitarius, -a, -um lonely
solus, -a, -um alone, only
solvo (3), solvi, solutum to release, set sail, leave
stipes, stipitis, *m.* trunk, stump, branch
stirps, stirpis, *f.* stock, stem, root
sublimis, -e lofty
sui, sibi, se, se *(3rd person reflexive pronoun)* himself, herself, itself, themselves
sum, esse, fui to be; **esto** *(future imperative)* Be!
supersto (1) to survive
supersum, superesse, superfui to remain
suspiro (1) to sigh

T

tam so
tamen but
tamquam as if
tandem at last
tectum, -i, *n.* roof, house
tempus, -oris, *n.* time
totus, -a, -um all, the whole, entire, total
truncus, -i, *m.* trunk
tu, tui, tibi, te, te you
tum then

tunc then
tuus, -a, -um your

U

ubi where
umbra, -ae, *f.* shade
unde whence
urbs, urbis, *f.* city
ut so that, that, to. . .+ *verb; comparative adjective* + **quam ut** too. . .to + *verb*
utinam if only! I wish that. . .
uxor, uxoris, *f.* wife

V

valde very much, really
valeo (2), valui, valitum to be in condition to do something
venio (4) to come
ventito (1) *(frequentative verb)* to come often
vero but
vin' see **volo**
vinco (3), vici, victum to overcome, conquer
vix scarcely, hardly
volo, velle, volui to want; **velim** *(present subjunctive)* I should like; **vin' = visne** do you want?